Catalogage avant publication de
Bibliothèque et Archives nationales du Québec
et Bibliothèque et Archives Canada

Gay, Marie-Louise
[Caramba and Henry. Français]
Caramba et Henri
Traduction de : Caramba and Henry.

ISBN 978-2-89686-057-9

I. Titre. II. Titre : Caramba and Henry. Français.

PS8563.A868C3814 2011 jC813'.54 C2011-940677-2
PS9563.A868C3814 2011

Publié par Groundwood Books/House of Anansi Press
Version française pour l'Amérique du Nord

www.dominiqueetcompagnie.com
Directrice de collection : Lucie Papineau
Dépôt légal : 3e trimestre 2011

Imprimé en Chine

Nous remercions le Conseil des Arts du Canada
de l'aide accordée à notre programme de publication.
Nous reconnaissons l'aide financière du gouvernement du Canada
par l'entremise du Fonds du livre du Canada pour nos activités d'édition.
Gouvernement du Québec - Programme d'édition et programme
de crédit d'impôt - Gestion SODEC.

À tous les enfants qui rêvent de voir
un chat volant
et à ceux qui en ont déjà vu un.

Caramba
et
Henri
Marie-Louise Gay

Caramba a toujours rêvé d'avoir un petit frère.
Un petit frère qu'il emmènerait à la pêche.
Un petit frère qui chercherait des chenilles de toutes les couleurs avec lui.

Un petit frère qui adorerait ses omelettes au fromage
et partagerait tous ses secrets.
Mais jamais Caramba n'aurait pu imaginer un frère comme Henri…

Henri ne veut rien partager. Ni les secrets. Ni les jouets. Rien.
Il écrabouille les chenilles préférées de Caramba.
Il lance les omelettes de Caramba par la fenêtre.
Henri ne parle pas. Il pleure, il crie ou il huuuurle ! Jour et nuit.
– Montre-lui à ronronner, suggère Roselyne, la meilleure amie de Caramba.
Tu ronronnes si bien.
– Les chats ronronnent quand ils sont heureux, répond Caramba.
Henri n'est jamais, jamais heureux.

– Et ce n’est pas tout, dit Caramba. Henri commence à voler…
« Oh là là, pense Roselyne, ça ne sera pas facile pour Caramba. »
En effet, Caramba est le seul chat au monde qui ne vole pas.

– J'ai cru qu'il serait comme moi, dit Caramba. Alors, je voulais lui apprendre à nager.

– Mais rien ne t'en empêche, dit Roselyne.

– Pourquoi voudrait-il apprendre à nager s'il peut voler ? grogne Caramba.

Henri apprend à voler, mais sans beaucoup de succès.
Un jour, il éternue si fort qu'il est projeté en l'air
et manque de s'écraser sur le cactus préféré de Caramba.
Au dernier moment, Henri fait une jolie pirouette
et se lance par la fenêtre.
Il tombe la tête la première dans la mare aux canards.
Quand Caramba réussit enfin à le repêcher,
Henri est couvert de boue et de plumes
et il hurle comme la sirène d'un camion de pompier.

– Caramba, lui dit sa mère, je veux que tu veilles sur Henri jusqu'à ce qu'il apprenne à voler comme il faut.
– Moi ? demande Caramba. Pourquoi moi ?
– Tu es son grand frère, répond sa mère, et c'est ce que font les grands frères.
– Mais il ne m'écoute pas, dit Caramba, et il crie tout le temps.
– Oui, je l'ai remarqué, dit sa mère.
– As-tu remarqué aussi que je ne peux pas voler ? ajoute Caramba. Comment veux-tu que je le surveille ?
– Tu es un chat très astucieux, répond sa mère. Je suis certaine que tu sauras quoi faire.
Caramba lève les yeux au ciel.

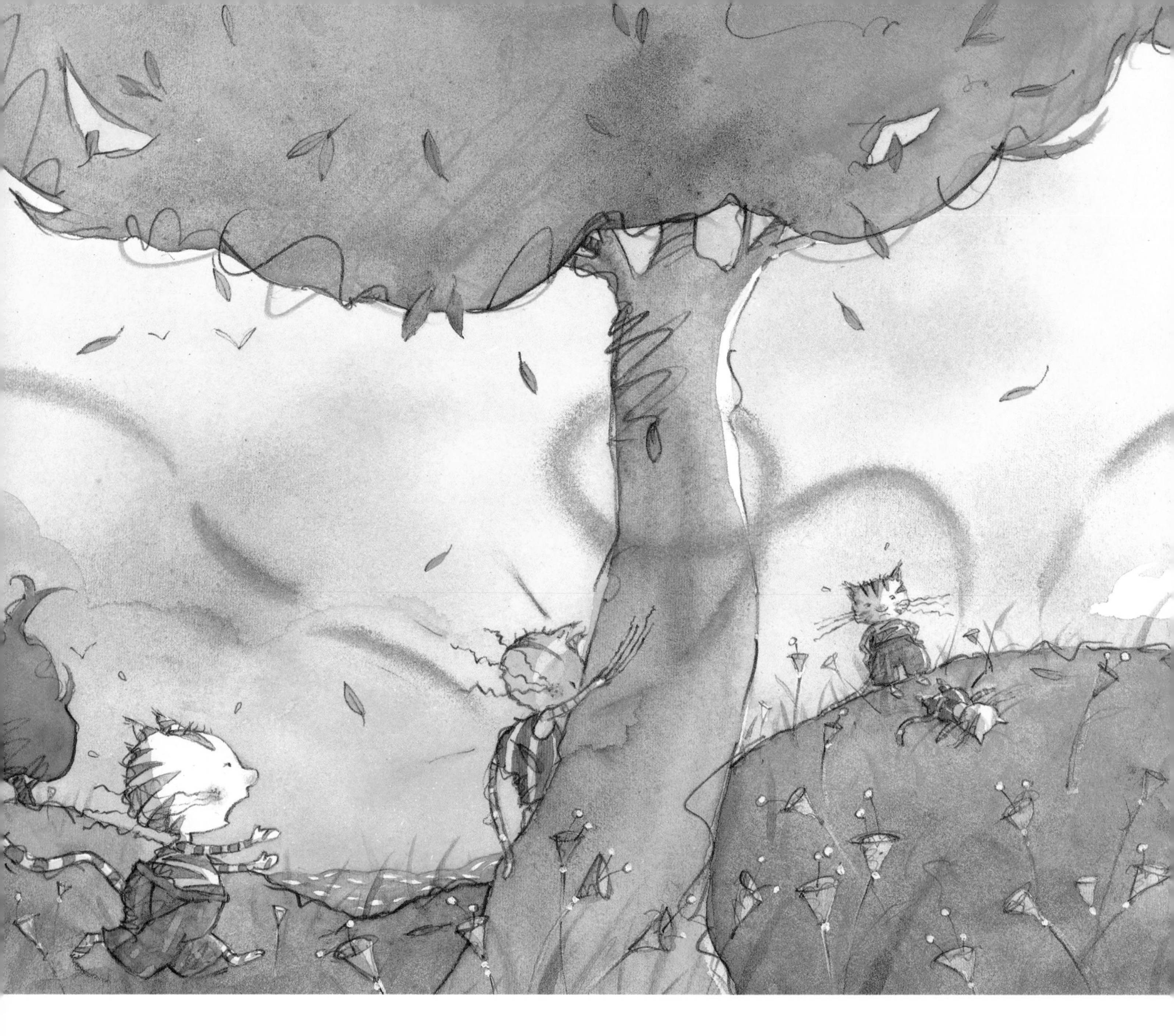

– Bon ! dit Caramba en soupirant bien fort. Henri, viens te promener.
Mais Henri veut voler. Il se bute aux arbres. Il s'écrase dans les champs de chardons.
Il s'entortille dans les cordes à linge, les cerf-volants et les foulards.

Caramba court ici et là, les bras tendus pour attraper Henri.
Il le ramasse. Le dépoussière. Le désentortille. Le gronde.
– Je n'en peux plus, dit Caramba à bout de souffle. Je dois trouver une solution.

Caramba transporte Henri sous son bras,
comme s'il était une baguette.
Henri pleure à chaudes larmes.
Il met Henri dans un sac à provisions,
comme s'il était un gros navet.
Henri crie à tue-tête.
Il place Henri dans son filet à papillons, et ça marche…
jusqu'à ce qu'Henri reprenne son souffle et huuuurle de rage.
– Il est encore très malheureux, dit Roselyne.
– À qui le dis-tu, soupire Caramba. Mais je ne sais pas quoi faire de lui.
– Laisse-le voler, dit Roselyne. C'est simple comme tout.
« Pas si simple que ça, pense Caramba. Moi, j'aimerais mieux
qu'Henri ne vole pas. »

Malgré tout, Caramba a enfin une bonne idée.
– Génial ! rigole Roselyne. Henri ressemble à un cerf-volant à poils !
Henri n'aime pas qu'on rie de lui. Il déteste l'idée géniale de Caramba.

Il se tortille et se démène comme un poisson au bout du fil.
– Arrête de gigoter, Henri, dit Caramba. Tu vas m'arracher le bras.
Mais Henri réussit à se libérer. Du coup, il disparaît au-dessus du marais.

– Ah nooooon ! crie Caramba. Reviens, Henri ! Reviens !
Caramba plonge dans le marais et s'enfonce dans la boue jusqu'aux moustaches.
Roselyne le sort de l'eau bourbeuse en le tirant par la queue.
– Nous allons retrouver Henri, dit-elle. Ne t'en fais pas.
– Comment ? lui demande Caramba. Je ne peux pas voler à son secours
et je ne peux pas nager dans ce marais boueux.
– Je crois qu'il y a un vieux radeau dans le coin, dit Roselyne. Viens, Caramba !
Il n'y a pas de temps à perdre.
Ils partent dans un nuage de libellules.
Les grenouilles chantent de leurs voix rauques.
Les aigrettes aux yeux jaunes les dévisagent d'un air sérieux.
– Avez-vous vu passer un petit chat ? leur demande Caramba.
Les aigrettes font non de la tête et s'envolent sans bruit
dans le crépuscule mauve.

– La lune se lève, chuchote Roselyne. Nous allons retrouver notre chemin.
– Quel chemin ? soupire Caramba. Nous tournons en rond.
Un cri aigu retentit au-dessus du marais. Les grenouilles se taisent.

– C’est Henri ! s’écrie Caramba. Je reconnaîtrais son cri entre mille.
Il s’empare de la branche et pousse le radeau de toutes ses forces.
– Par là ! crie Roselyne. Je le vois !

Henri s'est agrippé à une très petite branche tout en haut d'un arbre immense.
Il a si peur qu'il ne peut même pas bouger le petit orteil.
– Henri ! crie Caramba. Je suis là !

Henri se met à huuuuuuurler ! ! !
– Chut…, dit Caramba. Écoute-moi bien, Henri.
Henri arrête de hurler. Il renifle un peu.
Les grenouilles se remettent à chanter. Les hiboux hululent.
Les chauves-souris sifflent en tourbillonnant au-dessus du marais.
– Vole, Henri ! dit Caramba. Bats des pattes ! Fais des moulinets !
Je t'attends…
Et Caramba ouvre grand les bras.

Henri remplit ses poumons d'air.
D'un seul coup, il saute dans le vide. Il bat des pattes.
Lentement, puis plus vite.

Il fait de jolis moulinets avec sa queue,
puis s'envole parmi les étoiles et les lucioles…
jusque dans les bras de Caramba.

– Henri, dit Caramba, tu voles si bien ! Je suis très fier de toi.
– Ca-r-r-r-amba, ronronne son petit frère.
Henri vient de dire son tout premier mot...